김성곤

쌓여가는 마음을 안고
과거를 추억하는
고독의 벗, 독백의 예술가

소 곡 집
小 曲 輯

김성곤

남몰래 울면서
여백에 적은
작은 이야기들.

힘이 들때마다
노래처럼 중얼거린
작은 노래들.

아무도 몰라주던 외로움을
유일하게 알아주던 존재들.

들어가며

나의 모든 순간들을 찰나라도 함께했던
모든 소중한 인연들을
감히 나의 사람들이라 부릅니다.

인연의 끈을 쉽사리 놓지 못하는 사람이라,
한번 스쳐간 인연을 쉽게 잊지 못하는 사람이라,
혼자서 많이도 울었지요.

이 모든 이야기들은 그대들이 있었기에 가능했습니다.
그대들에게 이 작은 이야기들을 바칩니다.

고맙습니다.

차례

하나, 마음

1

이제는 아무렇지도 않은
그때의 기억을 되짚으며.

2

알알이 맺힌 열매처럼
나의 사랑도 하나 둘씩 짙어져 가려나.

3

어느 순간 세차게 내리다가
어느 순간 잔잔히 그쳐가는
내 사랑이 늘 소나기 같았으면

4

너무도 많은 마음을 감당하다가
이제는 지쳐버렸는지도 모르겠네요.

5

후회는 파도처럼
사랑은 낙엽처럼
진작에 그랬어야 했는데.

6

피어나는 마음에
한 겹 쌓여가는 사랑이
괜스레 미워지는 하루

7

사랑아,
빗물처럼 멀리 떠나가서
절대로 다시 돌아오지 말아라

8

마음을 상실했음에도
결국에는 푸르를
나지막한 바다

9

과거에 갇혀서 너를 떠올리고
잊지를 못해서 너를 추억한다

이제, 시곗바늘의 무한한 회전운동 속에서
오래되어버린 너를 쫓겠다

결국에 너를 다시 만나게 된다면,
그제서야 나는 비로소 지금을 살겠지

10

무의식 중에 돌린 초점 없는 시선,
그 끝엔 언제나 그대가 있었다.

11

하염없이 흐르는 눈물을 멈추지 못했다.
너는 나보다 더 많이 울기를 바랬다
그리고 그 많던 눈물을 다 흘리고 나면
그제야 꽃들은 여울져가겠지

12

내가 미칠 듯이 사랑했던 사람아,
안녕.

13

모든 걸 다 잃는대도 좋다
그러니 부디,
꿈에서는 나를 버리지 말아라.

14

나 혼자만 힘든 마음이라는 걸 알면서도
또다시 그대에게 흔들리는 것은
그 마음이 너무 크기 때문이겠죠

아려오는 마음을 붙잡고 바보같이 또,
사랑을 믿어봅니다.

15

슬픔에 젖은 채로
텅 빈 거리에 남겨진 마음

당신은 말 없이
내 손을 잡아주었다

16

무한히 팽창하는 시간 속
변하지 않는 너의 모습에
하루를 살아

무한의 끝에 다다를 때까지
얼마나 많은 시간이 흐를지 모르겠지만
끝끝내 나에게로 와
꽃이 되고 별이 될 너를 그리며
또 하루를 살아

너무 소중해서 담아내지도 못할
그런 하루를 살아

겨우내 살아.

17

너에게 난 뭐였을까

붉어진 눈시울에 흐르는 눈물은
데일 듯 뜨겁다

내가 더 사랑했던 걸까,
너는 아무렇지도 않아 보인다

이제 우리가 함께 보냈던 시간의 의미를 찾아
긴 긴 시간의 여정을 떠난다

그리고 남겨진 것은..

18

비가 오는 날에
그대와 함께 걷던 오솔길 아래서
얼굴을 마주하고 늘 그랬듯 사랑을 속삭여.

언제나 처음과 같이 그렇게, 항상.

19

소년의 세계 속
소녀의 모습은

사랑
사랑
사랑

20

<이별>

어느새 문득.
서서히, 그렇게.

21

아직 당신이 서있는 세상과
내 눈 앞에 웃으며 서있는 당신과
우리 사이에 사랑이 피어나던 순간들,

눈을 비벼봐도 깨지않는 꿈

22

<어느날 블루스>

달빛이 은은하게 스며든
어느 새벽녘의 창문 틈새로
그대가 비친다

잠결에 취해 낮게 읊조리는 고독과 사랑의 노래

도저히 양립할 수 없는 두 단어의 앙상블은
어둠의 속삭임과 어우러져 새벽을 채우네

당신은 고개를 내밀고 말없이 미소를 짓는다

이제야 비로소 새벽은 충만해졌고
깊은 꿈 속의 나는 당신과 춤을 추며
그렇게 여울져간다

23

봄비에 흩날린 벚꽃처럼
이내 피었다 지는
당신과 나의 사랑,
이제는 안녕.

24

우연이였나,
아님 운명이였나

시간을 뚫고, 돌고 돌아서
기어이
소년과 소녀는 인연이 되었다.

25

한 줄기 자라나
금새 피고 질
시린 꽃 같은 한 떨기 마음이여
그대는 영원토록 아름다워라.

26

꽃은 지고 고독을 지나
겨울은 오고야 말았다

지난 시절 속 너를 생각하며
앙상해진 가지에 매달린
초록의 마음,
너를 흔든다.

27

<긴 문장을 끝내는 건 고작 마침표 하나 뿐이였다.>

끝내 우리의 작은 안녕에도
오롯한 너이기를.

28

잊지를 못해서
겨우내 살아가는
상실의 마음

29

시린 겨울을 비집고 스며든
당신은 차갑다.

30

보이지 않는 마음을 전하고
들리지 않는 안녕을 건네고
그렇게 그대를 떠올려요

언젠가, 우리 만나요
반드시, 찾아 갈게요.
그때는 그대를 마음껏 사랑할게요.

31

운명은, 우연을 엮어 인연을 만들고
우연은, 운명을 따라 인연이 되었다.

32

<편지>

사랑하는 당신에게,
미소 띤 마음을 드리고
그 언젠가 우리 사랑이 떠오르면
빛바랜 마음을 꺼내어
서로를 추억하기로 해요

둘, 추억

1

그리운 날들을 쫓아 걷는
정처없는 소요

2

낭만으로 칠해진
청춘의 도화지

3

흘러간 시간을 물끄러미 바라보다
다시 고개를 들어 하늘을 보니
하늘에 훌쩍 가까워져 있었다

주마등처럼 지나간 순간들을 추억한다

맞닿은 하늘을 하염없이 바라보다
떠나간 존재에게 말을 건넨다
덧없이 저물은 나의 지난날에게.

4

내일이 저물어갈 때 끝이 날
그대들의 내일을, 나의 시절을 회상한다.

허무할지도 모르겠다
내가 그랬으니까.

바람이 분다
날이 춥다

다시는 돌아가지 못할 시절을
아름답게 살아가기를.

그 시절에게 남기는,
그 시절에게 보내는,
내가 해줄 수 있는 유일한 말이므로.

5

드넓은 하얀 눈밭에서
나는 과연 무엇을 찾고있나.

지나간 순간들을 추억하고 있나.
과거의 잃어버린 마음들을 찾고있나.

6

지나간 시간들은 왜
추억이 되어 가슴을 아려오는가

7

어둠을 밝히는
무언의 번쩍임에
괜스레 생각에 잠기는 하루.

밤은 이제 막 정점에 다다랐는데.

8

눈뜨면 사라질
어느 날의 기억

놓치지 않으려 품 안에 넣어둔
한 여름 밤의 꿈

9

얼마 남지 않은 밤이 지워져간다
이제는 꿈을 꾸던 순간만 남아
아른거리는 밤

비가 내리고
달이 기울고
이제는 안녕히.

10

순간이었던 시간들을 담아서,
혹은 무수한 시간들의 순간을 담아서,
때묻지 아니한 한 폭의 여백 속에
꽃을 피우리

11

구름이 피워낸 성난 하늘의 모순
그 속에 미련.

12

그리움 하나에 울고
그리움 하나로 웃고
그리움 하나를 써본다

13

모든 잊혀져가는 것들에 대한 연민
모두에게서 지워져가는 자들에 대한 애도
모든 것들을 사랑해내겠다는 마음

이제는 돌이킬 수 없는 것들.

14

다시 돌아온 계절에, 맞잡은 두 손
한 발짝 내딛은 시간의 지평선 너머엔
지나온 것들의 세상이 펼쳐져 있네요

영원한 줄 알았던 시간을 걷던 나

매일 난 한없이 아름다운 한 편의 꿈을 꾸어요
내 생에 가장 소중했던 시절을 추억해요
어떤 날보다도 찬란했던 한 여름밤의 꿈을 꾸어요

15

사무치게 그리운 것들을 위해
애써 담담하게 써내려가보는
과거의 현재의 기록

나는 무얼 찾아 이 세상을 방랑하는가

속절없이 흘러가는 것들 속에서
저 멀리 보이는 미래를 향해 손을 뻗는다

곧, 동이 튼다.

16

소중했던 추억들을
기억 속 저 너머에서 조심스레 꺼내요
그리고는 떠나가지 못하게 꼬옥 안아요

누구나 하나쯤 가지고 있는 추억과
다시는 걷지 못할 추억의 시간들,
그 시간의 궤적을 함께 걷던 존재들.

이따금씩 떠오르는 옛 생각에
덧없이 흐르는 시간을 고스란히 새겨요.

오랜 시간이 지나도
여전히 난 또 지나간 기억을 걷고,
여전히 난 또 지나간 기억을 걷고.

17

사뭇 아름답던 날들을 딛고
시간의 도약을 이루리라

18

<추억>

어지러이 피어나는
아지랑이 만큼이나
아득하고
아련하고
아름다운.

19

영원 :
소중했던 것들이 아무것도 아니게 될 때까지.

20

즐거웠던 순간은 늘,
눈 감았다 뜨면 사라져 있기에
눈을 뜨지 않기로 했다.
눈을 감은 그 순간에 살기로 했다.

21

그리움을 쫓아
안녕히 계셨던
하얀 세상으로.

22

순간이 휩쓸고 간
흑백의 사진 속 난
환하게 웃고 있다

추억과 꿈,
그 사이쯤 어디에선가
충분히 아름답게.

23

그 시절 사랑했던
모든 순간들에게.

24

추억에 잠겨 지금을 잊고
오로지 과거로 떠나야지

세상을 등진 채 세월을 역행해
그때로, 그대로.

25

옛 생각에 잠긴다.

무척이나 아름답고 소중했던 시절에 잠긴다.
아득히 멀고, 헤어나오지 못할만큼 깊게 갇힌다.
그럼에도 여전히 과거를 추억한다.

현재가 과거가 되고
과거가 과거의 과거가 되고
미래의 먼 훗날이 아득한 과거가 될 때까지
영원히.

26

지나간 순간들에 연연하였던,
떠오른 감정들에 의연하였던,
아이

27

눈 떠보니 사라진 순간들

덧없다

시간은 가히 얄미워라.

28

애틋하게,
먹먹하게,
사무치게.

29

아무것도 아닌 오늘이
먼 훗날 아름답게 기억되리

30

아이야, 너는 그래 잘 지내고 있을까.
아이야, 너의 하루는 어땠니.
아이야, 너의 시절이 아름다웠기를.

이제는 추억이라 부를 수 있는 나날을 보냈을까.
불러도 대답없는 너는 그래 잘 지내고 있을까.

아이야, 아이야.

31

잊혀져도 잊지 못하게
사라져도 사라지지 못하게
순간 순간을 담고 담아두자

아름다운 청춘,
다시는 돌아오지 않을 그 시간을
기억하고 기억하자
떠나가도 떠나가지 못하게.

32

색을 쥐고
우련하게 새어나오는
어스름의 눈동자

타오르는 흑백의 하루는 저물어가고
황혼에 기울어 달은 차오르리

33

과거로 과거로
자꾸만 침전해가던
어젯밤 꿈 속의 나

그때의 기억이
선명히 떠올랐기에
오늘 밤에는
쉬이 잠들지 못하리

34

무어 그리 잘한게 있다고
절박하게 남겨놓은
그 과거가 떠올라
그 옛날의 기억을 집어들고
그 오래된 페이지를 넘긴다

35

옅은 초록에 알알이 맺힌 이슬
앙상해진 가지에 차오를 낙엽
세월은 무심히 흘러가 어느덧 접어든 청춘.
어스름 속에서 청춘과 사랑을 추억하며
죽어간다.
죽어간다.

셋, 고독

1

어차피 나부낄 고독의 잔해들
이제는 버려질 고독의 감정들

2

<예술 1>

이 작은 이야기는
가장 정제된 형태로 남게 된
어떠한 고독.

3

그는 나에게 존재하는 존재인데
나는 그에게 존재하는 존재일까

아니, 누군가에게라도 존재하는 존재일까

4

누군가에게 그저 그런 사람으로 남지 않기를
짧은 순간이라도 나를 기억할 수 있기를

영원할 것만 같은 기억의 끝에서
새로운 기억들이 피어나
지나간 기억을 짓밟겠지만,
바래져버린 그 기억 속에 내가 존재하기를

5

고독의 순간을 벗어나
눈을 감았다 뜨면
벌써 내일의 해는 떠오르겠지

아마도 나는
바쁜 일상 속에서
길을 잃고 나를 잃어
죽어가는지도 모르겠다

아름다운 밤을 위해,
나의 존재를 잊지 않은 자들에게,
나락으로 추락하는 나의 감정들에게,
이 순간까지 견디다 기어이 잃어버린 나를 위해.

6

스스로에 대한 증오는
쉬이 그칠 줄을 모르고
깊고 깊은 나락으로
끊임없이 스스로를 떨군다
그렇게 낙하하는 나는
스스로를 증오한 죄로
영원토록 스스로를 증오하게 되겠지

7

찢어진 틈으로
억지로 비집고
들어가 보지만
있을 곳은 없는.

8

내가 없는 세계를 들여다보며
나는 점점 조금씩 침전해간다
여실히, 고독함에 잠겨 죽어간다.

9

어차피 고독을 견디지 못하고 추락할 낙엽은
초가을의 품 속에서 유유히 나부낀다.

그러다 세상이
빨강과 노랑으로 물들며 바람에 스쳐가고
그렇게 가을이 완연해질 무렵,
져야할 때를 직감한 낙엽은 결국 부유한다.

옅은 바람 타고 누군가의 옷깃을 여미기도 하고
시린 거리를 쌓아가기도 하면서
가을은 점차 절정에 이르러간다.

시간은 흘러 가을의 끝에 선 낙엽은 이제
여백을 채우고, 또 여백을 만든다.

10

적막함이 감도는 거리는
흑백의 풍경에 겹쳐진다

이곳은 찰나의 쓸쓸함을
온 사방에 가둬놓은 듯 고요하다.
한가득 품은 듯 고요하다.
여전히 고요하다.
고요하다.
고요.

.

11

다른 세상에 덩그러니 남겨진 죽음의 의인화
고독을 위해 존재하던 상처뿐인 마음

넘쳐흐르는 어둠을
감히 감당하려고 발버둥쳐보지만
감정의 무게에 짓눌려 바스러지고 무너진다

울음을 달래고 돌아선 그곳은,
결국 고독의 곁.

12

고독과 아픔과 상처와 그리움과 자책과 걱정,
고민과 혼돈, 방황과 우울과 슬픔이 없는
머나먼 그곳,
아득히 먼 그곳으로.

13

이
슬프고도 아름다운,
고요하나 어지러운,
외로우나 묵직한,
이야기의 결말은
어딜 향해 가는가,
어디로 치닫는가.

14

쉬이 잠들지 못하는,
세상의 끝에 매달린
나의 하루여.

그렇게 독을 품고,
그렇게 고독을 안고
어디 한번 버텨봐라.

15

너무 무거워서 떨어진
낙엽들의 빈자리를 채우려고
봄은 옵니다.

너무 외로워서 구멍난
마음속의 상처들을 고치려고
봄은 올까요.

16

정작 본인조차 사랑하지 못하면서
누굴 자꾸 사랑하려 드느냐

17

외롭고 슬프게 죽어가며
자신의 가여운 삶을 위해 으악대던
한 소년이 있었다

어른이 되는 건 어려웠다

소년은 찰나에 마주한 주마등 속에서
어쩌면 지난 날의 자신이
그리 나쁘지만은 않았겠다는 생각에 잠겼다.

곧, 애처로운 두 손으로
죽음의 문턱을 딛고 한 가닥의 빛줄기를 마주하자,
소년은 모든 것을 사랑해내겠다고 다짐한다

모든 날, 모든 사람들, 모든 순간과
모든 것들을.

18

욕망에 집어삼켜진 나약한 존재는
달콤한 선악과를 먹어삼키고
모든 것을 상실했다.

아름다운 세상과
사랑하는 존재들
심지어는 자기 자신마저도.

19

<성장통 1>

나를 아프게 하는 모든 것들을 이겨내야 한다

적당한 고통 속에서 성장해가는 나를 아껴줘야지
약해지지 말고 독하게 마음 먹어야지
아픔을 딛고 일어설 수 있게 강해져야지
나에게 주어진 모든 것들을 사랑해야지

그렇게 어른이 되어야지.

20

애틋한 나의 삶에 한줄기 축복을.
돋아나는 마음에 덧 없는 사랑을.

21

새로이 만들어지는 내가
예전의 모습으로
당신들 앞에 설 수 있을까

그리고 당신들은
예전과 달라진 모습의 나를
예전처럼 맞이해줄 수 있을까

22

고독이 내리던 하늘에
아지랑이처럼 피어난 무지개

외로운 태양은 구름 뒤로 숨었고
먹먹한 틈새로 고개만 내민다

다시금 걸어보는 남겨진 거리
그 끝엔 무엇이 있을런지.

23

밤이 찾아온다

귀 기울여봐.

밤을 살아가는 존재들의
숨죽여 쓴 이야기를 향해.

24

나는 곡예사.
삶과 죽음의 경계에서 곡예를 펼친다.
나를 탐탁지 않아하는 사람들.
나를 무시하며 수군대는 사람들.
성난 군중들의 여흥을 위해
아슬아슬한 곡예를 펼친다.

그들의 말과 행동은 사정없이 빗발치는 칼날이 되고
그 속에서 위험천만한 곡예를 펼친다.
불 붙은 고리를 뛰어넘고
야수와의 죽음을 건 곡예

어느덧 접어든 하이라이트,
하늘을 향한 도약.
지켜보는 시선에 질끈 감아버린 눈.
그리고 추락.
죽음.

25

짙은 초록이 머물던 자리는
고독으로 물들어
끝내 황량하였네.

26

물감통에 가지런히 정돈되어 있던 흰색 물감 하나.
어느날 갑자기, 그의 몸뚱아리가 검은 도화지 위에
한 방울 남겨진다. 덩그러니.
애처로운 그 한 방울은 어둠 속에서
자신의 존재를 확인하려 내가 아닌 것들에게 흘러간다.

도화지를 흘러다니며 자신의 흔적을 남긴 흰 물감은
어느새 줄무늬를 새긴다.
그는 여전히 내가 아닌 모든 것들에게 집착한다.
그들의 생각과 이야기와 세상이 궁금하다.
그러면서 흰 물감은
서서히 도화지 속의 주인공이 되어간다.
내가 아닌 것들의 눈과 입 속에서
악착같이 살아남아본다.

겨우내 하얗게 변해버린 도화지에는
더 이상 흰 물감이 보이지 않는다.
그는 마침내 억겁의 시간을 견디고
최초의 가지런한 나로 돌아갈 수 있었다.

그러다 문득 생각한다.

사실 흰 물감은
원래 하얬던 도화지 위에서
의미없는 행진을 했던 게 아닐까.
도화지가 어떤 색깔이였는지도 모른 채
그냥 달려간 건 아니였을까.
차마 자신의 생각이 옳았다고 인정하고 싶지 않았다.

그냥 눈 뜨면 사라져있을
한 편의 꿈을 꾸었다고 생각하기로 한다.

27

오롯이 머금은 삶의 비애
기어이 토해낸 고독의 넋두리

28

잔악한 아가리에 삼켜져
운명의 자취를 따라
죽음의 꼬리를 물고
끝끝내 멈춰진 박동

29

꽃이 피는 아름다운 봄도
타오르는 무더위의 여름도
차디차게 얼어붙은 겨울도 아닌
그저그런 계절.

색깔을 품은 계절들의 사이에 자리잡고
빛깔을 잃어가며 사이를 채우고자
낙엽을 떨구고
고독을 부른다.

30

태양은 뜰테고
바람은 불테고
내일은 올텐데

오늘 남겨진 마음은 어디에.

31

유유히 흐르고 흘러
망망대해 어디쯤에선가
이 드넓은 세상에 내가 있었음을.

고작 인간에게는
그런 무언의 생각 따위가 마땅하다는 듯이.

침전해간다.
사라져간다.
이윽고, 나의 존재는 지워진다.

32

인간을 혐오하던 어떤 소년.
돌연, 죽음의 곁으로 간 최후의 소년.

그의 운명은
어느 손에 잠겨 기우는가.

33

통탄의 기슭을 오르다
그예 비탄에 잠겨 죽으리

34

침묵의 바다를 묵묵히 항해한다.

긴 긴 정적을 깨뜨린 건
바다가 세상의 전부라 믿던 사공의 한탄

부르짖음은 파도를 만나
한 편의 노동요가 되고
어느새 바다는 풍성한 폐허가 된다.

곧이어 젖어드는 감상.
어허라디야, 파도가 친다.

애처롭다.
이내 침몰한다.
다시, 노를 젓는다.

35

젖어들어가는 한 폭의 여백 속으로,
무심히 눈을 감으네.

36

결핍 속에서
비로소 충만을 이룬
가난한 예술가

시인을 닮아
끝끝내 저질러버린
텅 빈 작품들

37

새하얀 마음을 얼룩진
스산한 마음의 잔해들

언젠가, 언젠가,
어른이 되면은
어젯밤 꿈처럼 사라지기를.

38

애매한 우울감과 너저분한 비애를 가진 채
쉽사리 무언가를 할 수 조차 없는 밤의,
그런 밤의 괴물이 된다.

하얗던 세상은 몇 번의 난동을 거쳐 밤으로 물들고
마침내 빼곡한 밤은
괴물이 연거푸 내뱉은 포효소리에
발작을 일으키듯 별들을 토해낸다
기어코 밤의 지배자가 된 나는
비로소 영원한 안식에 접어든다
감상에 젖어든 한 편의 꿈을 꾼다.

39

결핍 속에서
비로소 충만을 이룬
가난한 예술가

시인을 닮아
끝끝내 저질러버린
텅 빈 작품들

40

순간을 이어서 시간을 만들고
그 시간들을 엮어서 잇다보면 영원이 된다.
나는 그 영원속에서 단 하나의 순간,
오직 그 하나의 순간을 낚아채기 위해
먼 길을 떠난다.

그 길이 얼마나 외롭고 힘들까.
영원을 걷는 길이 얼마나 길고 험할까.
영원을 걸으며,
영원의 무수한 순간을 이따위 글들로 기록하며
언젠가는 오리라 믿는 그 하나의 순간을
언젠가는 맞이하겠지.
언젠가는,
언젠가는.

41

언젠가는 모두에게 잊혀져
기억 깊숙이 잠들겠지.
서서히, 고요하게.

42

어느새 당연해져버린
고독과 외로움

흘깃 들여다보고는
다시 고개를 숙여서
외로움에 사무치기로.

43

나는 흐르지 않는 시간 속에서
쉼없이 변해가는 세상을 동경한다.

나는 결핍이 만든 욕망 때문에
고통 속에서 무한한 죽음을 겪는다.

나는 내가 갖지 못한 것들로 가득한
그런 세상을 살아가는 자들을 질투한다.

나는 고독과 외로움에 사무쳐
과거를 후회하고 우울에 젖어든다.

44

선연한 하늘이 미워진 탓에
탕연한 마음은 그렇게 저물고.

45

암울한 세상을 살아가려고
읊조려대는 거짓말의 삶

상상하고 상상하고서는
연거푸 토해내는 위선의 말

예술의 세계로 침몰하는 그림자.

46

충분히 아파하다가
사랑의 이유를 잃는다

나는 이제 고독한 시인이 되어
너무도 선명한 어제를 남기며
알지도 못하는 내일로 흐른다

47

누군가 토해낸 고독의 마음을
어찌나 머금었는지
유난히도 새까만 밤

나 하나의 고독 쯤이야
더한다고 해서
가득한 밤은 넘치지 않겠지

48

혼자서 이 세상의 모든 아름다움들을 감당하기에
나는 너무 어린가보다.

넷, 독백

1

<찾아야하는 것들의 목록>

사랑, 낭만, 행복, 자유, 평화, 청춘

2

<바다>

나에게 올곧은 자유를 허락해준
드넓은 바다여

3

<새해>

새로이 다가올 날에도
따뜻한 바람은 부려나

4

<여정 1>

푸르름에 취해
천천히, 또 여유롭게 걷고만 싶은
그런 하루

5

<성장통 2>

앞만보고 정신없이 달려가다
문득 뒤를 돌아봤을 때
처음과는 다르게 너무나도 커져버린 발자국에
왠지 모르게 조금 씁쓸했다.
조금은 천천히 걸어가도 됐을텐데
발자국이 커져가는걸 보지도 못했네.

6

<시인의 노래>

잿빛으로 물든 바다를 표류하는 자
들리지 않는 노래와 보이지 않는 시만이
그와 함께한다

시인은
쉬이 그치지 않는 감정의 바다에서
사랑을
인생을
하루를
노래한다

그러나 파도의 비명과 자연의 부산함은
노래를 침묵시키며 점점 커져만 간다

한참을 표류하던 시인은
이제 묵묵히 바다의 깊이를 가늠해본다

그러고나면 어느샌가
파도가 잠잠해지고 자연이 고요해지며
시인이 부르짖던 노래는 옹알임을 시작한다

시인은
조용히, 인간의 피땀을 노래하고
담담히, 흘러간 시간을 엮어간다
드디어 시인의 노래는 고요의 정적을 깨뜨렸다
결국엔 시인의 노래가 바다를 집어삼켰다

육지에 도달했다.

7

<밤>

미친 듯이 아름답고
미친 듯이 황홀하다
도시의 밤

8

\<무제 1\>

가을을 잃어버렸다

9

<꽃과 달>

목마름에 울부짖는 대지에도
피어날 꽃

어둑함이 채워가는 창공에도
차오를 달

10

<예술 1>

글을 쓴다는 건
무언의 마이너스들로부터 잠시 멀어지는 것.
여백에 남기는 마이너스들은
언젠가 플러스가 되어 돌아오겠죠.
그러기만을 바라면서
해야할 말들을 않은 채 여백을 채워나가야만 하겠죠

11

<성장통 3>

순백의 아이는 어둠에 휩싸여 죽었고
어둠의 아이는 순백을 삼키며 돌아왔다

처연한 모습으로
의연한 모습으로

오늘은 어제의 내가 죽어버린 날이고
내일은 오늘의 내가 정복하는 날이 되리라

12

<연극>

자 이제 연극이 모두 끝났습니다.
정신없이 바쁘게도 달려왔네요.

노래는 마음에 드셨나요?
배우의 연기는 괜찮게 하던가요?
이야기의 구성은 만족스럽던가요?

어쩌면 많이 부족했는지도 모르겠습니다.
제가 너무나도 부족한 사람이거든요.

그래도 이 연극을 끝까지 봐주셔서 감사합니다.
후회없이 잘 놀고 잘 즐기다 갑니다.

우리 그러면 마지막은 웃으면서 장식합시다.

안녕히 계세요.

13

<성장통 4>

죽을 것만 같았던
얇은 몸을 달고 살던
시들어만가던 한 송이
어느 봄날이면 다시 꽃을 피우려나

14

<성장통 5>

타성에 젖어
끝내 스며들어가버린
어린 어른의 넋두리여

15

<여정 2>

빼곡이 마중나온 보슬비에
나의 하루가 젖어들어가지만
가야할 길은 참 많이도 남았기에
빗 속으로 여실히 잠겨본다.

16

<시절인연 時節因緣>

아득한 세상에
유한한 것들 마저도
피고 질 때가 있으니
인연이 다해 져버린 것들에게
감히 눈물을 흘리지 말아라
그리움에 잠기다
때가 되면 또다시 피어나
새로운 시절을 살아갈 테니

17

<여정 3>

깊은 마음이 필요한 모든 것에
여정이라는 이름을 붙이고
천천히, 또 조심스럽게 발을 뗍니다

나는 글을 짓는 사람이므로
나의 한 발짝 한 발짝에 감정과 생각을 담아서
잊혀지지 않도록 새겨둡니다

그렇게 여정의 한 페이지들이 모여서
한 편의 이야기가 끝이 날 때 즈음
나는 조금 더 단단해져 있겠죠

18

<익숙함>

익숙함이 존재하지 않는
새로운 세상에서의 공허함 속에서
익숙함의 소중함을 깨닫는다.

새로움 속에서,
익숙함이 얼마나 가치있었는가를 느꼈을 때,
나는 이미 새로움에 적응하고 있었는지도
모르겠다

다시 그것은
익숙함으로 익어가겠지

19

<창조>

존재의 계통을 거슬러
태초의 뜻이 시작됐던
과거의 과거의 과거로
지금의 의식과 자각은
애초의 발생과 이어져
원시의 순간을 되새겨
엮어진 기억을 전한다

27

<야곡 夜曲>

고동치는 밤하늘에
하릴없이 타오르는
별들의 하모니여
평안히 안녕하셔라

28

〈불멸〉

겨울을 머금은 매화는 연신 비명을 토해낸다.

눈물로 얼룩진 동백꽃은 이내 고개를 떨군다.

한 맺힌 수선화는 기어이 죽음으로 치닫는다.

갑작스레 만개한 벚꽃은 이제 세상과 맞선다.

마침내, 봄과 마주한 목련은 결코 스러지지 않으리.

29

<죽음 1>

고요가 삼킨 북녘 산골,
피 묻은 우렛소리

새벽이 깃든 숲속 들녘,
한 맺힌 바람소리

30

<성장통 6>

침묵과 공허로 메워진
절망과 공포의 세계속
여리고 설익은 아이의
찬란히 빛이날 인생은
아득히 머나먼 시간에
무작정 구겨져 버린다
그리고 그곳의 유일한
끈질긴 생명의 풀벌레

너는 그래 안녕하느냐

31

<야곡 夜曲 - 잠 못 이루는 밤>

조화의 밤하늘을
온전히 품어냈던
고요의 새벽녘은
어둡고 충만한데
쉽사리 잠은 오지 않고.

32

<계절의 끝자락>

덧없이 스쳐간
계절의 끝자락
공백의 순간을
겨우내 느낀다

33

<성장통 7>

적막의 순간,
소년은 그때,
무슨 생각에 빠져있었나.

34

<예술 2>

나의 독백은
나의 시간과
나를 만든다

35

<초월>

감히, 시간을 가늠해본다

어리석게 날려보낸 어제는 찰나였고
언젠가 찾아올 내일은 영원과도 같겠지.

그럼에도,
과거의 무게로 기울어진 세계의 균형을 찾다보면
오늘은 어제가 되고 내일은 오늘이 된다

이제, 감히 시간을 헤아린 자들에게 내려지는
독배를 마신다.
어차피 떠나가버린 어제를 위하여.
후회로 얼룩진 오늘을 위하여.
그리고 기꺼이 맞이할 내일을 위하여.

이윽고, 완전해질 영원.

36

<동그라미를 위하여>

세모가 네모에게.

우리, 같이 떠올리고 생각하자.
모난 곳 하나 없는 이를 위하여
어느 곳 하나 튀지 않는 이를 위하여
그저 묵묵히 앞으로만 굴러가는 이를 위하여

37

<하얀 도화지>

하얀 도화지에 생긴
짙은 얼룩을 지우려고
지우개를 문질러보고
얼룩을 찢어도 보고
얼룩으로 무늬를 만들어도 보고
그림으로 가려도 보고
물로 문질러도 보지만
오히려 더 더러워질 뿐이였다.

변하는 건 없었다.

38

<야곡 夜曲 – 모두가 잠든 밤>

휘몰아치는 구름들의 떼창,
어김없이 찾아오는 새벽.

먼 산 너머로 고개를 내미는 달아,
오래전 조금씩 차오르던 네가
오늘이 되어서야 결국 완전해졌고
하필이면 나의 눈에 띄었구나

그래 좋다.
나와 밤을 지새보자.
이 밤을 함께 안아보자.
흩날리는 구름따위 잊어버리고
보이지 않는 별들과 함께 무너져보자.

39

<별의 궤적>

달조차 뜨지않는 칠흑
방향을 알 수 없는 혼돈
시간도 무의미한 어둠

별의 궤적을 따라간 그곳에는
오랫동안 잊고있던 꿈이 있었나.

40

<예술 3>

잃어버린 시간에 대한 미련
날려보낸 순간을 향한 집착

공백에게,
나의 하찮은 솜씨로
나의 생각과 감정들을 표현해본다.

이윽고, 공백을 차지한 독백.
우리들의 청춘.

41

<죽음 2>

오래전 떠나간 넋의 자리에서
고결한 그들의 몫을 향해
안녕을 고한다

잠시후, 숨죽이며 찾아오는 죽음을 맞이하며
이미 죽어있던 청춘들과
남겨진 가여운 영혼들을 향한
무언의 묵념.

42

<짙은 하루>

다가온 바람에 옷깃을 여미고
흩어진 빗물에 마음을 적시고
스며든 그림자는 짙어져만 간다

괜스레 멜랑콜리해지는 하루에
눈을 감고 잠시 멈추어가기로 한다

유난히도 짙은 하루에
먹먹해지는 마음만이 가득한 채로.

43

<예술 4>

독백의 시간을 견디고
기어이 번뜩인 영감은
상상의 상상 속 예술의 예술이 되고
먼 훗날 길이 남아 새로이 쓰여질
전설이 되었네.

그리고 예술가의 최후의 걸작은
전설의 탄생과 포효로
세상이 태동할 때
비로소 완성되리라.

44

<무제 2>

겨울이 왔음을 실감하듯
낙엽은 모조리 사라지고
새로운 내일은 다가온다

바람이 분다.
날이 춥다.

45

<무제 3>

초록의 수평선 너머에서
하이얀 구름을 피워내는
고운 하늘 아래
햇살은, 사뭇 따스하다

46

\<상실\>

상실의 시대를 살고있는 우리들은
자꾸만 무언가를 잃어버린다.

47

<무제 4>

가을은 이미 찾아와있었다.

48

<나홀로 로맨스>

푸른 수평선 너머로 신비롭게 일렁이는
아마 꿈과 자유

아득히도 멀었던, 그럼에도 쫓았던
마침내 두 발과 맞닿은 세상아

두팔 벌려 너의 숨결을 들을래
귀 기울여 너의 존재를 느낄래

무뎌진 마음에 자리한 것들을 잊고서
이제는 저멀리 세상 밖으로 떠날래

벅찬 여정을 떠나며 나홀로 로맨스

49

\<예술 5\>

온갖 것들을 집어먹는다.
어지럽게 어우러진다.
넘쳐흐를만큼 먹고 또 먹는다.

드디어, 세계를 토해낸다.

50

<예술 6>

나의 펜은 어떤 마음을 품었을까
내가 지어내는 이야기는
어떤 색깔을 띄고 있을까

지극히 사적인 마음으로
언어로 표현할 수 있는 감정을 찾아서
머나먼 여로에 오른다

넉넉한 사유의 끝에는
끝끝내 예술가가 된
이 이야기의 주인공이 자리해있겠지

마치며

13살 때 작가가 되겠다고 다짐했고 11년간 변함없이
살았다. 하지만 많은 장애물들이 나를 흔들어댔다.

그럼에도 잡다한 마음이 내 안을 채워갈 때,
과거의 추억에 사로잡혀 가슴이 먹먹할 때,
평생을 함께한 고독이 유난히 버거울 때,
마치 노래처럼, 낮게 독백하곤 했다.

어느덧 독백의 순간은 잦아지고
그렇게 여백은 독백으로 물들어
작은 노래들은 이야기가 되었다.

나의 작은 이야기들은 이 책 안에서
나의 지난 시간들을 담은 채 세상으로 나왔고
그렇게 당신들은 지금 나의 이야기들을 읽었겠지.

나는 작가가 되어야만 할 것 같다.
그러지 않으면 안될 것만 같다.
나는 글을 써야만 하는 사람인가보다.

작가로서 첫 발을 성공적으로 내딛은 나에게,
언제나 나의 곁을 함께해주는 나의 사람들에게,
진심으로 감사의 인사를 전합니다.

소곡집

발　행 | 2024년 2월 8일
저　자 | 김성곤
펴낸이 | 한건희
펴낸곳 | 주식회사 부크크
출판사등록 | 2014.07.15.(제2014-16호)
주　소 | 서울특별시 금천구 가산디지털1로 119 SK트윈타워 A동 305호
전　화 | 1670-8316
이메일 | info@bookk.co.kr

ISBN | 979-11-410-7107-3